TEXTES
Florence Cadier • Élisabeth Courtois

ILLUSTRATIONS
Madeleine Brunelet • Chantal Cazin •
Stéphane Couillerot • Claire Le Grand • Myriam Mollier

Édition : A Cappella Création
Conception de la couverture : Élisabeth Hebert
Conception visuelle : Michèle Bisgambiglia
Photogravure : IGS Charente Photogravure
Impression : Grafica Editoriale printing

© Groupe Fleurus, Paris, 2001
Dépôt légal : octobre 2002
N° d'édition : 02088
ISBN 2-215-04392-X

24 histoires pour attendre Noël

Sommaire

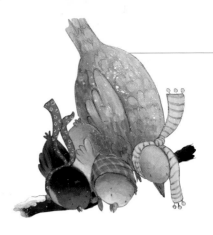

3

Julot Mulot attend Noël

Bien au chaud dans son terrier, Julot Mulot entend la neige tomber tout doucement au-dessus de sa tête. Julot Mulot ne sort presque plus de chez lui ! Seul Papa Mulot met encore le nez dehors pour aller travailler. Quand il rentre le soir, il a le bout du nez gelé ! Avec son grand frère et sa petite sœur, Julot Mulot invente plein de jeux rigolos, mais depuis quelque temps, les jours lui semblent longs, beaucoup trop longs ! Souvent, il va voir Maman Mulot : « C'est bientôt Noël ? – Non, c'est dans très longtemps », lui répond toujours sa maman patiemment. Un jour, elle en a vraiment assez de répéter toujours la même chose.

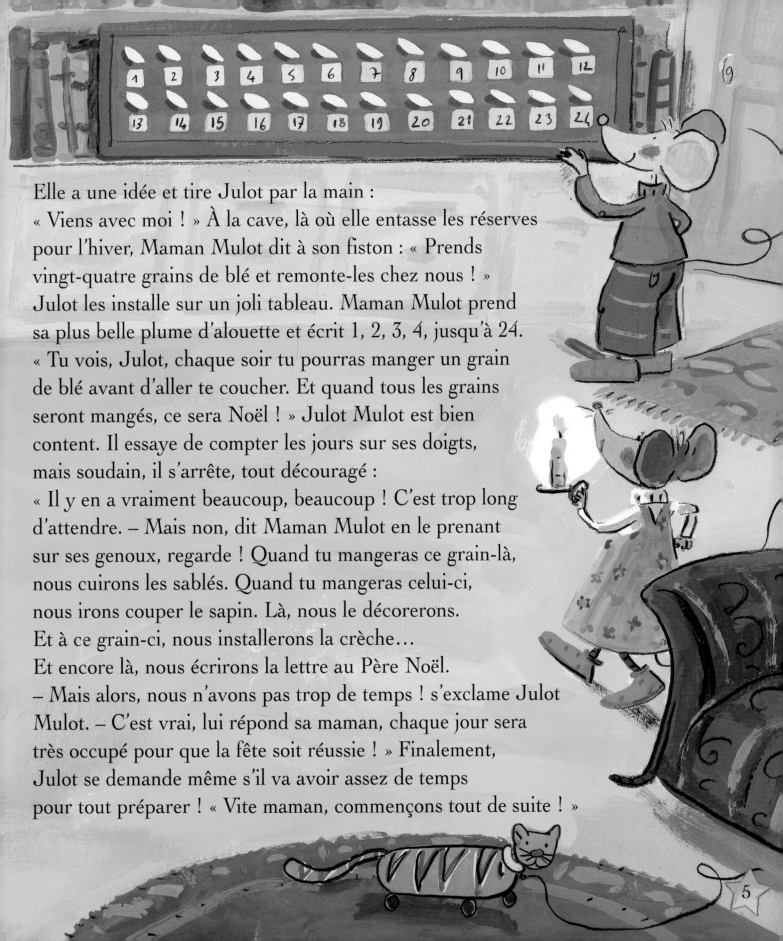

Elle a une idée et tire Julot par la main :
« Viens avec moi ! » À la cave, là où elle entasse les réserves
pour l'hiver, Maman Mulot dit à son fiston : « Prends
vingt-quatre grains de blé et remonte-les chez nous ! »
Julot les installe sur un joli tableau. Maman Mulot prend
sa plus belle plume d'alouette et écrit 1, 2, 3, 4, jusqu'à 24.
« Tu vois, Julot, chaque soir tu pourras manger un grain
de blé avant d'aller te coucher. Et quand tous les grains
seront mangés, ce sera Noël ! » Julot Mulot est bien
content. Il essaye de compter les jours sur ses doigts,
mais soudain, il s'arrête, tout découragé :
« Il y en a vraiment beaucoup, beaucoup ! C'est trop long
d'attendre. – Mais non, dit Maman Mulot en le prenant
sur ses genoux, regarde ! Quand tu mangeras ce grain-là,
nous cuirons les sablés. Quand tu mangeras celui-ci,
nous irons couper le sapin. Là, nous le décorerons.
Et à ce grain-ci, nous installerons la crèche…
Et encore là, nous écrirons la lettre au Père Noël.
– Mais alors, nous n'avons pas trop de temps ! s'exclame Julot
Mulot. – C'est vrai, lui répond sa maman, chaque jour sera
très occupé pour que la fête soit réussie ! » Finalement,
Julot se demande même s'il va avoir assez de temps
pour tout préparer ! « Vite maman, commençons tout de suite ! »

5

Sophie et Aliocha

Sophie et son grand frère Aliocha habitent un pays où l'hiver est si long et si froid qu'on n'a pas envie de sortir de chez soi. Mais dans leur maison de bois, Aliocha et Sophie ne se soucient guère de la neige et du froid ! Ils sont en plein travail. Avec des branches de sapin, ils tressent une couronne. Comme elle est belle, avec son ruban rouge et ses petites boules de houx ! Sophie la lève au-dessus de sa tête : « Regarde Aliocha, c'est le soleil ! » Puis elle ajoute un peu inquiète : « Crois-tu que le soleil reviendra un jour ? – Bien sûr ! Le soleil reviendra quand l'hiver s'en ira, et nous pourrons à nouveau courir dans les prés ! » Cela fait longtemps que Sophie et Aliocha économisent sou par

sou, pour acheter quatre belles bougies
à mettre sur leur couronne de l'Avent.
« Chaque dimanche avant Noël,
nous en allumerons une, et la maison
sera de plus en plus belle, pleine
de lumière ! » explique Aliocha
à sa petite sœur. Soudain, quelqu'un
frappe à la porte. « Bonjour Yvan !
dit Sophie en ouvrant.
– Ma maman est malade, dit le petit
voisin tristement, et nous n'avons plus
de bougies pour nous éclairer. Le marchand
n'en a plus et, à cause de la neige, il ne sera pas
livré avant longtemps. Pourriez-vous nous en
prêter une ? » Aliocha et Sophie se regardent :
les seules bougies qu'ils ont sont celles de leur
couronne ! Sophie fait un signe de la tête.
Alors Aliocha tend une bougie à Yvan : « Tiens !
elle est pour toi ! » Aliocha regarde sa petite sœur
en souriant : « Tu sais, Sophie, la semaine est
presque finie, on allumera la deuxième bougie
la semaine prochaine ! » Les jours passent
et la maman d'Yvan est toujours malade.
Alors Sophie et Aliocha décident de leur
donner leur deuxième, puis leur troisième
bougie. Et à chaque fois, Aliocha dit
en riant à Sophie : « Tu sais, Sophie,
la semaine est presque finie… »

Et Sophie continue…
« On allumera la suivante la semaine prochaine ! »
Le dernier dimanche avant Noël est arrivé. « Demain,
c'est Noël, dit Aliocha, allumons notre quatrième bougie !
– Bien sûr, dit Sophie un peu triste, mais elle éclairera
moins que s'il y en avait quatre ! » Mais quelle surprise !
Voilà que la petite bougie se met à briller, à briller…
On dirait que des milliers de petites flammes éclairent
la pièce. Une douce chaleur se répand dans toute
la maison, comme si la couronne était un soleil au milieu
de l'hiver. Tout à coup, on entend frapper à la porte.
C'est Yvan et sa maman. « Maman est guérie !
s'écrie Yvan, et nous venons réveillonner avec vous ! »
dit-il joyeusement. Dans la pièce tout illuminée, les amis
fêtent ensemble le plus beau des Noëls !

3 décembre

Coline et l'orange magique

Coline habite tout en haut de la montagne.
L'hiver, tous les voisins se retrouvent
pour raconter des histoires.
Ce soir, c'est Coline qui prend
la parole : « Ma marraine
est une fée !
Elle a une orange géante
qui l'emmène où elle veut,
et… Le voisin Gustave
la rabroue : « Cesse
de raconter des sornettes !
Je la connais ta marraine,
et si c'est une fée, je veux
bien être transformé en cheval ! »
Tout le monde rit et Coline, vexée, part se coucher.
Elle commence juste à s'endormir, quand quelqu'un frappe
au carreau : c'est Marraine !
Vite Coline enfile son manteau et la voilà partie dans l'orange
magique tirée par un cheval gris.
« Où veux-tu que nous allions ? » lui demande la fée.

9

« En ville ! Je n'ai jamais
vu les lumières de Noël… »
En une seconde, l'orange
les emporte au-delà
des montagnes, dans le ciel
de la ville. « Regarde, Marraine !
toutes ces lumières… s'exclame
Coline. – Tu n'as encore rien vu »,
lui dit la fée. D'un coup de baguette,
elle envoie des milliers de petites étoiles qui brillent.
Les arbres, les toits, les rues sont couverts de poussière
magique. La ville entière scintille. Les gens qui regardent
les vitrines de Noël rient et courent dans tous les sens
pour attraper la poussière d'étoile qui vole partout.
Les lampadaires clignotent gaiement pour dire

bonjour à Coline et à sa marraine et, dans les vitrines,
les jouets dansent la farandole ! Les phares des voitures
s'allument et, dans les maisons, les guirlandes des sapins
clignotent toutes seules. Coline n'en croit pas ses yeux !
C'est toute une ville de lumière qui s'étend sous l'orange
magique ! Quand l'heure de rentrer est venue,
Coline jette un dernier regard en arrière et,
en un éclair, l'orange file vers la montagne.
Par la fenêtre, Coline envoie des baisers par milliers
à sa marraine, la fée. L'orange magique disparaît
déjà dans le ciel et le soleil commence à poindre.
C'est alors que Coline remarque, dans le champ
du voisin, un cheval gris qu'elle n'avait jamais vu.
Son dos est couvert de poussière d'étoile...

11

Les pains d'épice ont disparu !

Sur la grande place de la ville, des marchands venus de partout ont installé leurs échoppes de bois. Les gens se bousculent dans une joyeuse pagaille, les bras chargés de paquets. Louise vient chaque année au marché de Noël. Entre les casse-noisettes aux larges épaules, les Pères Noël en bois, les boules en verre et les guirlandes d'étoiles, Louise ne sait plus où poser le regard. Elle a emporté avec elle ses économies. « Je ne dois pas oublier les cadeaux pour mes frères, songe-t-elle. Deux bonshommes de pain d'épice à suspendre

12

dans l'arbre. »
Devant une échoppe,
elle tend la main vers
une boîte à musique qui chante
« Mon beau sapin », puis change d'avis.
Tout d'abord, elle va acheter ses pains d'épice.
Louise se faufile dans la foule. Soudain, des cris éclatent au
milieu du brouhaha : « Mes pains d'épice, mes bonshommes
en pain d'épice, ils ont disparu ! s'affole une jeune vendeuse.
Ils ne peuvent pas s'être volatilisés ! Ils étaient là il y a encore
dix minutes. Je me suis absentée un instant et quand je suis
revenue, plus rien ! Pff ! envolés ! Je remplace ma grand-mère
qui a pris sa retraite mais, cela ne lui est jamais arrivé ! »
Tout le monde se met à chercher. Dans les sapins, sous
les tables, derrière les échoppes, dans les cartons... rien.
Louise est très déçue. Maintenant il est tard, il faut rentrer !

13

Elle s'engage dans une petite rue étroite,
quand tout à coup, elle fronce le nez : on jurerait
une odeur de pain d'épice !

Elle s'approche d'une petite maison éclairée.

« Quelle surprise, vous êtes venus ! dit une petite
voix frêle.

– Vous nous manquez tant, Maminette, nous avions envie
de vous revoir cette année », répondent en chœur
des petites voix flûtées.

Louise jette un coup d'œil par la fenêtre, elle n'en croit pas
ses yeux : des bonshommes de pain d'épice dorés
et moelleux sautent sur les genoux d'une vieille dame !

« C'est grâce à vous si nous existons, dit un petit ange potelé.

– Vous avez donné la recette à votre petite-fille et elle sait
bien nous cuisiner. Regardez comme nous sommes tendres !
ajoute un Père Noël encore chaud.

– Ainsi, vous vous êtes échappés du marché de Noël !
s'amuse la vieille dame.

– Oh, juste une petite minute, pour vous souhaiter
joyeux Noël ! » explique un ours doré et dodu.
Les bonshommes de pain d'épice posent vite
un baiser sur la joue de la vieille dame et filent
dans la nuit rejoindre leur échoppe.
Le saint Nicolas se retourne une dernière fois
en agitant la main et aperçoit Louise qui les regarde
stupéfaite. « Chut ! » fait-il en mettant un doigt
devant sa bouche. « Je saurai me taire, le rassure
Louise, ce sera notre secret de Noël ! Mais je
reviendrai vous voir demain car, moi aussi,
j'ai une surprise à faire à mes frères ! »

Une folle nuit dans la cuisine

Dans la maison de Paul et Juliette, tout est silencieux. Même le chat s'est endormi. Dehors, à la queue leu leu, trois petits bonnets rouges courent jusqu'à la porte d'entrée et se faufilent par la chatière. « C'est par là, dit Ygrec, le premier lutin, en indiquant la direction de la cuisine.

– Chut ! moins de bruit si vous ne voulez pas réveiller tout le monde, conseille Zed, le deuxième.

– Nous avons la nuit devant nous pour tout préparer, continue Doublevé, très excité. Tout d'abord, allumons le four. Où sont les allumettes ?

– Nous sommes là, répond une voix pointue sortant d'une boîte. Grattez l'une d'entre nous, c'est notre travail.

– Que venez-vous faire là ? demande la chocolatière, en haut d'une étagère.

– Les sablés de Noël, répond Doublevé, pour remercier les enfants de leurs petits cadeaux.

– Bien sûr, comprend un bol. Chaque soir, ils déposent du lait sur le rebord de la fenêtre.

– Nous allons vous aider, propose en chœur la batterie de casseroles. Au travail tout le monde ! »

La cuisine s'agite. La porte du réfrigérateur s'ouvre pour laisser sortir le beurre et lui donner le temps de ramollir. Un grand saladier de terre cuite saute sur la table et attend patiemment les ingrédients.

Œufs, farine, levure et sucre se précipitent derrière lui et bondissent au fond du plat.

« Mélangeons-nous pour obtenir une pâte bien lisse. »

Les trois lutins réveillent la spatule profondément endormie, pour malaxer le beurre. Puis la cuillère en bois, encore ensommeillée, titube vers le saladier, plonge dans les ingrédients et soudain, excitée par l'agitation ambiante, mélange frénétiquement la pâte qui se forme.

« Nous avons oublié le sel », se souvient Ygrec. – Je suis là, mais vous ne devez utiliser qu'une

seule pincée », rappelle-t-il en se
présentant. Doublevé dépose dehors la pâte
lisse et jaune. C'est le moment pour tous les
instruments de passer sous le robinet d'eau chaude
pour faire une toilette. Un peu plus tard, le rouleau
de cuisine et les emporte-pièce se mettent à l'œuvre.
« Han, han », souffle le rouleau en étalant la pâte
le plus parfaitement possible.
Puis une étoile, un Père Noël et un sapin bondissent
dedans. Un cœur et un petit âne les rejoignent,
transformant la pâte en dentelle. Très vite, les petites
silhouettes se laissent enduire de jaune d'œuf.
« Hi, hiii, ça chatouille, rigolent-elles.
– Et hop ! dans le four, bien à plat sur la plaque »,
les invite Doublevé. Pendant la cuisson, une odeur
alléchante se répand dans la cuisine. Un quart d'heure
plus tard, ânes, cœurs, sapins, étoiles et Pères Noël
se présentent à leurs amis, appétissants et dorés.
« Merci à tous, dit Zed, grâce à vous, nous allons
faire une belle surprise aux enfants. »
Un concert d'applaudissements lui répond.
Puis, chacun regagne sa place
et se rendort un sourire
aux lèvres.

La surprise de saint Nicolas

Ce soir, le vent souffle en longues rafales d'air glacé. Courbés en avant, pour mieux se protéger du vent, Jeanne et Thomas vont chercher du bois pour la cheminée. Soudain, Jeanne s'arrête et demande à son grand frère :
« Tu penses qu'il va passer cette année ?
– Saint Nicolas ? Mais il n'existe pas ! rétorque le grand garçon. Ce sont des histoires de bébé !
– Mais si, il existe ! Il a même ressuscité trois petits enfants qui s'étaient perdus dans la forêt et qu'un boucher avait enfermés dans son saloir pendant sept ans ! raconte Jeanne.
– Ce sont des contes pour les petits comme toi ! répond Thomas. Allez, en avant maintenant !
– Eh bien, moi j'y crois ! répond

Jeanne d'un air buté. Et le père Fouettard, il existe, lui ?
– Mais non ! c'est une histoire pour nous faire peur !
De toutes les façons, le père Fouettard vient pour les
enfants désobéissants ! Nous, on est toujours sages ! »
Peu à peu, la lumière du jour baisse et bientôt la nuit
s'installe. Au loin, les arbres noirs de la forêt dessinent
des formes inquiétantes. En traversant le grand bois
sombre, Jeanne serre la main de son grand frère.
Soudain, derrière un buisson, elle aperçoit une
espèce de grand bonhomme qui brandit un bâton
menaçant. Jeanne pousse un cri et se cache
derrière Thomas. L'ombre s'immobilise,
semble écouter, puis s'éloigne en dressant
un poing inquiétant…
« Tu penses que c'est le père
Fouettard ? demande Thomas
tremblant de peur.
– Oui ! Tu vois bien qu'il existe ! »
dit Jeanne en claquant
des dents.
Thomas attrape la main
de Jeanne et vite ils courent
dans la neige.
« Saint Nicolas, saint
Nicolas, crie Thomas,
viens nous protéger ! »
Au loin,
une lumière brille
dans la nuit.
C'est la maison !

19

Tout à coup, Thomas s'arrête net : une silhouette majestueuse approche.
« Regarde ! s'écrie Jeanne, c'est saint Nicolas avec son âne ! »
Jeanne et Thomas n'osent plus bouger, ils sont éblouis
par l'éclat lumineux du manteau en fil d'or que porte le grand saint.
« J'espère que maman a pensé au verre de lait et aux carottes
pour l'âne ! » dit Thomas.
Lentement, le grand personnage de lumière s'éloigne dans la nuit.
Les enfants s'approchent doucement de la maison et, sur le pas
de leur porte, ils découvrent, oh ! merveille, des sucres d'orge et
des oranges que le bon saint Nicolas a déposés pour les enfants sages.

L'aventure des petits santons

Quand s'ouvre la porte de la boutique, quelques flocons
de neige viennent blanchir le sol de l'entrée.
Un souffle froid fait frissonner les santons de Provence.
« Brrr, dit l'un d'eux en tremblant, il ne fait pas chaud ici. »
Ils sont arrivés hier de leur pays natal,
poussés par le mistral. Ils ont fait un
long trajet, délicatement enveloppés
dans du papier de soie, enfermés
dans une caisse. Ils ont hâte,
maintenant, de retrouver
la douceur d'une crèche et les
lumières de Noël. En attendant,
ils sont bien installés dans la vitrine, sur un lit de copeaux.
Emmitouflés dans leurs écharpes, des enfants collent le nez
contre la vitre. Les petits personnages en terre cuite sont
rêveurs. Où vont-ils être invités à fêter Noël ?
La petite cloche de la porte tinte. Une fillette avec sa maman
s'agenouille pour examiner de plus près les santons.
« Fais attention Lisa, ils sont fragiles !
– Maman, ce monsieur appuyé sur son bâton, c'est Joseph ?
– Oui, et juste à côté de lui, en robe bleue, c'est Marie.

21

– Mais où est-il, le bébé ?

– Là-bas, dans son berceau de paille. Mais on ne le mettra dans la crèche que la nuit de Noël. »

L'âne gris relève la tête. Avec son ami le bœuf, ils réchaufferont de leur souffle le nouveau-né.

Le petit berger et son agneau leur chuchotent à l'oreille :

« Puisque nous sommes devenus amis pendant le voyage, ce serait bien de rester tous ensemble pour fêter Noël.

– Regroupons-nous, dit l'âne. Cette petite fille nous choisira peut-être. »

Un ange brandissant une trompette les gronde gentiment :

« Où que vous soyez, réjouissez-vous de pouvoir vivre ce jour de fête. »

Le bœuf grogne : « Bien sûr, bien sûr, mais cela compte, l'amitié. Je préfère rester avec l'âne gris plutôt que de partir avec ce grognon de chien.

– Gardons notre calme, les apaise Joseph. D'ailleurs, où sont les rois ? Ils étaient près de nous il y a quelques minutes.

– Là, nous nous sommes mis un peu à l'écart, répondent ensemble Gaspard, Melchior et Balthazar. N'oubliez pas que nous n'arriverons de nos pays lointains que le 6 janvier, le jour de l'Épiphanie.

– Nous ne pouvons pas nous séparer ainsi, après un si long périple. Vous devez rester avec nous, exigent le pêcheur au filet et le tambourinaire.

– Et nous avons encore plein d'histoires à vous raconter ! » ajoutent la femme à la cruche et le meunier. Lisa les regarde intensément.

« Maman, est-ce que je peux choisir les santons ? »

L'âne, le bœuf et le petit berger observent la fillette.
Ses deux petites mains se tendent vers eux,
les frôlent, hésitent, puis hop ! les attrapent.
« Je voudrais ceux-là, dit-elle, avec Marie, Joseph
et Jésus.
— N'oublie pas les Rois mages ! rappelle sa maman.
— Ils sont là, ils sont là », crie de toutes ses forces
le jeune berger.
Lisa s'empare des trois Rois mages. Puis le meunier,
la femme à la cruche, le pêcheur au filet
et le tambourinaire rejoignent vite le comptoir du magasin.
« Ouf ! on est au complet, se réjouissent l'âne et le bœuf.
— Maintenant, c'est sûr, s'exclame le petit berger,
on fêtera longtemps Noël ensemble. »

La crèche patatras !

Le dernier dimanche avant Noël, toute la famille fait la crèche chez Théo et Léa. Cela se passe toujours comme ça depuis que leur mamie est toute petite et, sûrement, depuis plus longtemps encore ! Avec Papa, Léa descend à la cave chercher la boîte qui contient le papier rocher, les santons et l'étable en bois.

Tout est sorti sur la table basse du salon, quand Théo s'emmêle les pieds et… patatras ! les santons volent, le papier rocher se déchire ! Papa et Léa crient : « Attention Théo ! » Mais, il est trop tard, les santons sont cassés en mille morceaux.

Léa est furieuse : « La crèche est fichue, et c'est à cause de toi ! Regarde papa ! Joseph a perdu ses jambes ! Et l'âne n'a plus d'oreilles ! Même le petit Jésus est cassé ! »

Léa se met à pleurer.

Papa prend ses deux enfants sur ses genoux et il réfléchit tout haut :

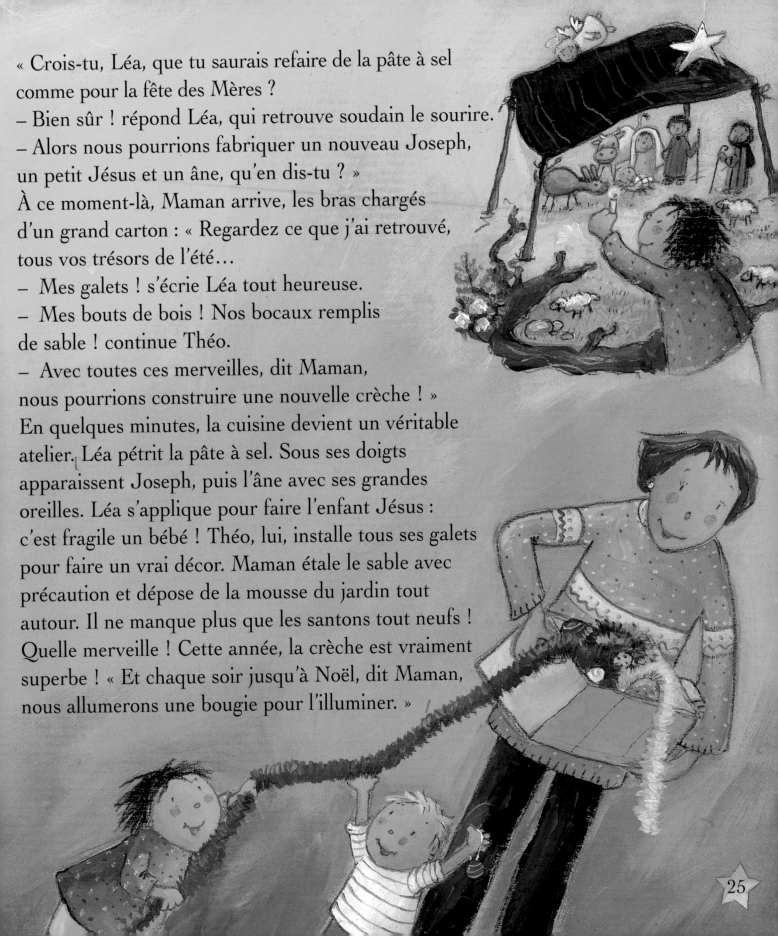

« Crois-tu, Léa, que tu saurais refaire de la pâte à sel
comme pour la fête des Mères ?

– Bien sûr ! répond Léa, qui retrouve soudain le sourire.

– Alors nous pourrions fabriquer un nouveau Joseph,
un petit Jésus et un âne, qu'en dis-tu ? »

À ce moment-là, Maman arrive, les bras chargés
d'un grand carton : « Regardez ce que j'ai retrouvé,
tous vos trésors de l'été…

– Mes galets ! s'écrie Léa tout heureuse.

– Mes bouts de bois ! Nos bocaux remplis
de sable ! continue Théo.

– Avec toutes ces merveilles, dit Maman,
nous pourrions construire une nouvelle crèche ! »
En quelques minutes, la cuisine devient un véritable
atelier. Léa pétrit la pâte à sel. Sous ses doigts
apparaissent Joseph, puis l'âne avec ses grandes
oreilles. Léa s'applique pour faire l'enfant Jésus :
c'est fragile un bébé ! Théo, lui, installe tous ses galets
pour faire un vrai décor. Maman étale le sable avec
précaution et dépose de la mousse du jardin tout
autour. Il ne manque plus que les santons tout neufs !
Quelle merveille ! Cette année, la crèche est vraiment
superbe ! « Et chaque soir jusqu'à Noël, dit Maman,
nous allumerons une bougie pour l'illuminer. »

La lettre au Père Noël

« Maman, maman, crie Pierre en sortant de l'école, il faut écrire la lettre au Père Noël. Aujourd'hui ! Tout de suite ! Louis il l'a envoyée depuis longtemps !

— Du calme, répond Maman. Que vas-tu lui demander ? Tu as déjà reçu beaucoup de cadeaux pour ton anniversaire.

— Ce n'est pas juste, soupire Pierre. Mon anniversaire tombe juste avant Noël et tout le monde pense toujours que j'ai eu assez de cadeaux. J'espère que le Père Noël ne sera pas du même avis ! »

Pierre rêve d'une nouvelle voiture télécommandée plus grosse que la rouge

26

de l'année dernière, d'une patinette et de patins à roulettes,
et d'un château fort avec tous les chevaliers…
Sur le chemin de la maison, le nez enfoui dans son écharpe,
il donne des coups de pied dans les dernières feuilles
de l'automne. Mais qu'est-ce qui colle sous son soulier ?
Toute mouillée, toute trempée, une enveloppe blanche
décorée de sapins verts un peu tordus et de boules rouges
pas très rondes dépasse des feuilles mortes.
Pierre la ramasse, l'examine et lit :

Cher Père Noël,
Cette année, maman ne sera pas là à Noël, car elle va avoir
un bébé. Papa ne sait pas comment préparer Noël,
il ne l'a jamais fait tout seul. Mais moi, je te demande
de passer nous voir, comme l'année dernière, même si la
maison n'est pas bien rangée. Mon petit frère Arthur
veut une voiture téléguidée et ma petite sœur Iris
un ours, tout doux, tout mou. Pour décorer
la maison, j'ai besoin de pinceaux et de peinture.
Mais si tu pouvais apporter quelques belles déco-
rations pour le soir de Noël, ce serait bien :
papa n'est pas très doué.
Penses-tu que maman rentrera pour Noël ?

Mathilde Rayon.

Pierre relève la tête.
« Mais c'est Mathilde,
la fille qui habite à côté
de chez nous !

C'est sa lettre au Père Noël, elle a dû la perdre. »
Pierre réfléchit un moment, puis il demande
à sa maman : « Tu veux bien qu'on les invite
pour Noël ? Comme ça, ils seront moins tristes…
– C'est d'accord, répond Maman, je téléphonerai
à son papa. » Une fois dans sa chambre, Pierre
fouille dans tous ses jouets. Il trouve la voiture
rouge télécommandée – un petit coup
de chiffon et elle est comme neuve – et un beau
nounours un peu râpé parce qu'il a été trop
aimé. Il prend ensuite des ciseaux, du papier
de couleur, et il découpe avec soin des sapins,
des boules et des étoiles.

Avec un crayon doré, il écrit dessus :
« Joyeux Noël ».

Il fabrique aussi des guirlandes
rouges et vertes qu'il déroule
en spirale.

Ensuite, il commence sa lettre au Père Noël :

Cher Père Noël,
Cette année, je crois que tu auras moins de chemin à faire, car Mathilde
est invitée chez moi, avec sa famille, et ce sera une grande fête.
J'ai commencé à ranger ma chambre et j'ai préparé des décorations
de Noël pour les deux maisons. Surtout, ne te dérange pas pour cela.
Pour les cadeaux aussi, j'ai trouvé ce qu'il fallait. Mais si tu pouvais
ramener la maman de Mathilde et son bébé chez eux pour Noël,
ce serait un vrai bonheur.
Merci Père Noël.
Pierre Blanc.

Le chevalier au grand cœur

Il était une fois un beau chevalier, un ours en peluche et une poupée de chiffon qui habitaient chez un marchand de jouets. Monté sur son cheval, le chevalier brandissait un drapeau, comme s'il partait à la guerre ! Il était fier, et parlait peu à sa voisine, la poupée, qui somnolait toute la journée. L'ours était le plus vieux jouet de la boutique. Il était arrivé ici bien avant tout le monde et il savait tout, ou presque ! Un jour, il annonça d'une voix forte : « Ce soir, grande toilette pour tout le monde ! Demain, c'est Noël !

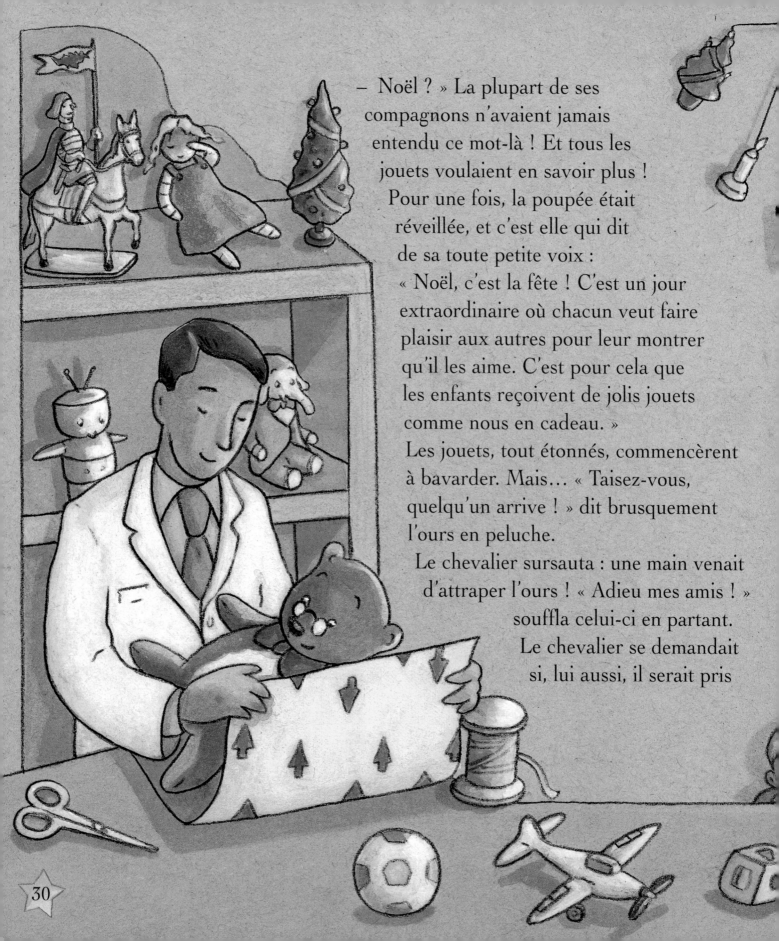

– Noël ? » La plupart de ses
compagnons n'avaient jamais
entendu ce mot-là ! Et tous les
jouets voulaient en savoir plus !
Pour une fois, la poupée était
réveillée, et c'est elle qui dit
de sa toute petite voix :
« Noël, c'est la fête ! C'est un jour
extraordinaire où chacun veut faire
plaisir aux autres pour leur montrer
qu'il les aime. C'est pour cela que
les enfants reçoivent de jolis jouets
comme nous en cadeau. »
Les jouets, tout étonnés, commencèrent
à bavarder. Mais… « Taisez-vous,
quelqu'un arrive ! » dit brusquement
l'ours en peluche.
Le chevalier sursauta : une main venait
d'attraper l'ours ! « Adieu mes amis ! »
souffla celui-ci en partant.
Le chevalier se demandait
si, lui aussi, il serait pris

pour être offert en cadeau. Il serait tellement fier
d'être choisi pour faire plaisir à un enfant !
À ce moment-là, il entendit la poupée de chiffon
pleurer doucement à côté de lui :
« Moi, disait-elle, personne ne me remarquera
jamais… Pourtant, j'aimerais tellement
faire des câlins à un bébé… »
De nouveau, une main s'approcha,
et une voix demanda : « Crois-tu que ce chevalier
ferait plaisir à Baptiste ? »
Le chevalier sentit son cœur battre de bonheur.
Mais, il se souvint aussi de sa pauvre voisine,
la poupée de chiffon. Alors il essaya de se reculer,
pour lui laisser plus de place. « Très bien, dit alors
la voix d'une maman. Et pour notre petite Noëmi ?
– Oh, regarde ! à côté du chevalier, il y a une
jolie poupée ! Elle a un sourire de fée, et elle est
si douce… C'est parfait pour un bébé, prends-la
donc ! » Quand le chevalier vit le sourire
qui illuminait le visage de la poupée,
il se sentit très fier et très heureux.
Vraiment, Noël était un jour extraordinaire !

Le Noël
des oiseaux

Sur la branche du vieux chêne, trois mésanges,
blotties les unes contre les autres pour se réchauffer,
regardent les gros flocons recouvrir le sol.
« Plus la moindre graine, ni le moindre vermisseau
à se mettre dans le bec, se lamente une des mésanges.
– J'ai faim, dit la plus jeune.
– Nous n'avons plus rien dans le garde-manger.
Allons près du village voir s'il reste quelques miettes. »

Les trois oiseaux s'élancent dans le crépuscule.
« Ce soir, c'est Noël, dit l'une des mésanges.
Regardez comme le village est en fête. »
Des rubans de fumée s'échappent des cheminées.
Un brouhaha de voix claires et joyeuses
transperce l'air glacé.
Martin se dépêche :
il veut rejoindre ses amis pour
terminer son bonhomme de neige.
Mais avant, il prend un morceau de lard
dans la cuisine et des grains de blé
dans la cabane du jardin et court déposer
son trésor sur le rebord de la fenêtre
de sa chambre. Il fait si froid cette année
qu'il faut penser aux oiseaux.
« Joyeux Noël », s'écrie-t-il en regardant le ciel.
Le cœur léger, il court rejoindre ses amis.
Les trois mésanges rasent le sol et se posent
dans la cour d'une ferme.

Peut-être les poules ont-elles oublié quelques graines ?
Mais leurs becs se cognent sur le sol gelé.
« Repartons un peu plus loin, suggère l'une d'entre elles.
Il ne faut pas se décourager », et elles reprennent leur voyage.
« Là-bas, dans le jardin de Martin ! s'écrie la plus jeune.
Regardez, il a pensé à nous. Hourra ! »
Les trois mésanges se posent dans un bruissement de plumes
sur le rebord de la fenêtre de Martin. Avec gourmandise,
elles se régalent de lard et de blé. Bientôt les rejoignent
deux bouvreuils, un rossignol et une tourterelle,
tous affamés, alertés par les pépiements joyeux
de leurs amies.

« C'est un régal, dit l'un des bouvreuils.
– Un véritable repas de fête, ajoute
la tourterelle.
– Comment remercier Martin ? »
demande le rossignol.
Les oiseaux se regroupent et chacun
émet un avis. Dans le jardin s'élève
un concert de pépiements.
« Je crois savoir ce qui lui ferait
plaisir, dit la plus jeune des mésanges. Écoutez… »
Martin rentre chez lui pour le dîner. Quand il monte
dans sa chambre pour enfiler ses chaussons, des coups
aux carreaux attirent son attention. Il ouvre grand la fenêtre,
tous les oiseaux lui offrent les plus beaux chants
de leur répertoire. C'est un véritable récital !
La plus jeune des mésanges se pose sur son épaule.
Dans son bec, elle tient une petite branche de houx
qui semble dire : « Joyeux Noël Martin ! »

Les trésors de la forêt

Margot passe les vacances de Noël chez ses grands-parents, à la campagne. Ses parents et ses frères et sœurs n'arriveront que le 24 décembre. « Pfff ! c'est long d'attendre », soupire Margot. Dehors, le froid glacial donne une couleur grise au ciel, tandis que dans la maison douillette, un grand poêle laisse planer une chaleur agréable. Assis dans un fauteuil confortable, Grand-père s'est assoupi pour la sieste. Grand-mère, dans sa cuisine, prépare un gâteau au chocolat. Son odeur sucrée fait envie à Margot, mais il faut attendre demain pour le déguster ! « Grand-père, je ne sais pas quoi faire », murmure Margot à son oreille. Grand-père, tiré de son sommeil, sursaute et grommelle quelques mots : « Lis un livre en attendant que Grand-mère ait fini. » Mais Margot n'a pas envie de lire. Elle secoue son grand-père gentiment. « Allez, Grand-père, tu m'as promis une promenade. – Bon d'accord, marmonne Grand-père en se levant, emmitoufle-toi bien et va demander un sécateur à Grand-mère. »

Margot enroule autour de son nez
son écharpe douce, enfile son manteau épais
et ses moufles en laine. Son bonnet lui cache bien
les oreilles. « En route vers les bois, dit Grand-père.
Nous allons préparer une surprise à tes parents. »
Dans la forêt, seuls les sapins ont gardé leur feuillage.
Grand-père choisit le plus vert et le plus fourni d'entre eux
et en coupe quelques branches avec le sécateur.
Margot s'approche d'un petit buisson vert et brillant
aux petites boules rouges. « Je sais ce que c'est,
dit-elle fièrement. Du houx ! ça pique.
– Oui, répond Grand-père, et on va en couper quelques
branches en faisant bien attention. »
Margot se demande bien ce que Grand-père a dans la tête :
la maison est déjà décorée d'un magnifique sapin de Noël
avec des guirlandes argent et or.
« Rentrons maintenant, dit Grand-père.
Il va bientôt neiger
et nous avons
du travail. »

Sur la table, Grand-père étale les branchages,
prend de la ficelle et des rubans rouges,
du carton et des crayons de couleur :
« Nous allons faire une couronne de bienvenue !
Je vais lier entre elles les branches de sapin
en une forme ronde, comme un soleil.
À toi, ensuite, d'y piquer le houx, des pommes
de pin, et de la décorer avec des rubans,
des boules et des étoiles que tu auras fabriquées. »
L'après-midi passe vite pour Margot...
Peu à peu, la couronne de bienvenue s'embellit
des couleurs de Noël. « Il est temps de l'accrocher
sur la porte en signe d'amitié pour nos invités
de Noël », déclare Grand-père.
Alors Margot, de sa plus belle écriture,
trace quelques lettres dorées sur un carton :
« Bienvenue à tous ! »
« Et que Noël entre dans
toutes les maisons ! »
rajoutent d'une même
voix Grand-père
et Grand-mère.

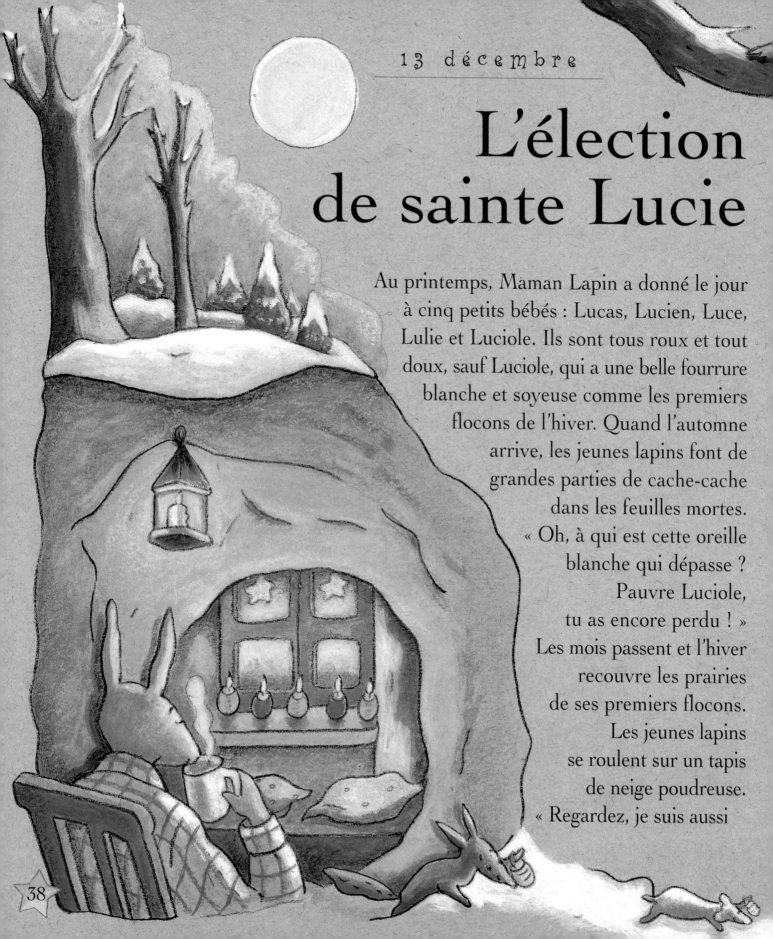

L'élection de sainte Lucie

Au printemps, Maman Lapin a donné le jour à cinq petits bébés : Lucas, Lucien, Luce, Lulie et Luciole. Ils sont tous roux et tout doux, sauf Luciole, qui a une belle fourrure blanche et soyeuse comme les premiers flocons de l'hiver. Quand l'automne arrive, les jeunes lapins font de grandes parties de cache-cache dans les feuilles mortes. « Oh, à qui est cette oreille blanche qui dépasse ? Pauvre Luciole, tu as encore perdu ! » Les mois passent et l'hiver recouvre les prairies de ses premiers flocons. Les jeunes lapins se roulent sur un tapis de neige poudreuse. « Regardez, je suis aussi

blanche que Luciole ! » crie Luce. Luciole a le sourire.
Au jeu de cache-cache, maintenant, c'est elle qui gagne.
Un soir, un roulement de tambour fait vibrer la forêt.
Le plus âgé des lapins prend la parole : « Oyez, braves
lapins ! Bientôt aura lieu dans la clairière la grande fête
de la Sainte-Lucie. Les plus jeunes filles de chaque
maison seront vêtues de blanc et porteront
une couronne de bougies sur la tête.
Tous les animaux de la forêt y sont conviés
et l'on procédera à l'élection
de la sainte Lucie de l'année !
– C'est la fête de toutes les lumières,
explique Papa Lapin. Car le 13 décembre,
c'est l'une des nuits les plus longues de l'année.
– Et ce matin-là, ajoute Maman Lapin,
les enfants réveilleront leurs parents
en leur apportant des brioches fraîches. »
Luce, Lulie et Luciole n'écoutent déjà plus,
elles se chamaillent comme des pies pour savoir
laquelle revêtira la robe blanche pour participer
à l'élection de la sainte Lucie de l'année.
Maman Lapin tranche :
« Puisque vous êtes toutes les trois nées le même

jour, vous participerez toutes les trois. »
Le soir venu, toute la forêt s'anime.
Maman Lapin dispose des lumignons
devant toutes les fenêtres de la maison
et les enfants défilent sur les sentiers
avec des lampions.
Des bougies par milliers éclairent
les chemins. Dans la grande clairière,
tous les animaux se rassemblent.
Commence alors le défilé des saintes
Lucie, accompagnées par les garçons
déguisés qui brandissent des étoiles d'or.
Luce et Lulie, une couronne de bougies posée
sur leur tête rousse, font virevolter fièrement
leur robe blanche. Mais au milieu du cortège, on ne voit
que Luciole dont la fourrure est si blanche que la lueur
des flammes la fait scintiller tout entière. Le papa de Luciole
lui glisse à l'oreille : « Tu es la plus belle de toutes les Lucie ! »
Quand tout le monde a voté, le vieux lapin se lève
et d'une voix forte, il proclame :
« Luciole, tu as été élue sainte Lucie de l'année !
Approche-toi pour que tout le monde te voie ! »
Hésitante et tremblante de plaisir, Luciole monte
sur une souche d'arbre. Tous les animaux applaudissent :
« Vive Luciole, vive sainte Lucie ! » Et même Luce
et Lulie, qui sont un peu déçues, sont très fières d'avoir
une si jolie sainte Lucie dans leur famille.

Un petit sapin pour Lison

Lison est tout excitée. Aujourd'hui on achète le sapin !
Sur la place du marché, des dizaines d'arbres sont installés.
Il flotte un parfum de fête ! Lison court dans cette drôle
de forêt. Elle lève les bras au ciel. « Moi, je veux un sapin
qui chatouille le plafond du salon ! » Maman sourit :
elle a presque dit oui ! Mais Lison n'en finit pas de choisir
son arbre préféré… Maman commence à s'impatienter :
« Alors ! tu as trouvé ? » Lison est bien trop occupée pour
répondre ! Derrière une montagne de sapins, une branche
lui a fait signe. Lison n'en croit pas ses yeux, elle se fraie

un passage et découvre un adorable petit sapin vert tendre écrasé par des arbres dix fois plus gros que lui. Le petit sapin reprend son souffle, secoue ses branches et murmure dans un bruissement d'aiguilles : « Ouf ! merci de m'avoir sorti de là ! J'ai cru que j'allais étouffer ! » Lison croit rêver : « Mais… tu parles ! » Le petit sapin rit : « Bien sûr ! si tu veux m'écouter ! » Lison caresse le petit arbre. Elle ne sait pas pourquoi, elle sent qu'elle l'aime déjà. Elle lui chuchote : « Mon pauvre ! tu dois être triste d'avoir quitté ta forêt ! – Pas du tout ! répond le sapin. Regarde dehors, les arbres n'ont plus une feuille, ils tremblent de froid ! Moi, je suis vert, même en hiver. Dans les maisons, on me pare de guirlandes. Je brille ! Je scintille ! Et les enfants dansent autour de moi. » Lison voudrait bien continuer sa conversation,

mais voilà sa maman, très étonnée :
« Il n'est pas trop petit celui-là ? »
Lison a peur que sa maman ne veuille
pas de son sapin, alors elle trouve
mille idées pour vanter ses qualités :
« Ses épines sont brillantes comme
le soleil ! Et mes boules neuves lui
iront à merveille. » Lison a l'impression
que le petit sapin lui a fait un signe :
« Bien parlé Lison !
Comme ça, je partirai avec toi ! »
Alors elle insiste :
« On l'installera sur la commode,
il touchera le plafond ! »
Maman sourit : c'est oui !
« Alors c'est moi qui le porte ! »
s'écrie joyeusement Lison.
Il est juste à ma taille !
Et quand Noël sera passé,
nous irons le replanter dans la forêt
et nous viendrons lui rendre visite
tous les samedis. Je crois que nous
sommes devenus de vrais amis. »
Le petit sapin a tout entendu :
il agite ses aiguilles de bonheur.
Il se penche vers l'oreille de Lison.
et murmure doucement :
« Je t'aime de tout mon cœur. »

Les trois elfes gourmands

Il était une fois trois petits elfes qui, la veille de Noël, voulaient décorer leur maison avec un sapin.

Ils en trouvèrent un juste à leur taille. Et « ho hisse ! » ils le tirèrent jusqu'à chez eux, tout heureux.

Décoré de pommes rouges, de nèfles, des raisins secs et des prunes sauvages, il était le plus beau des arbres de Noël !

À la veillée, chacun à son tour raconta une histoire.
Le premier elfe commença celle de l'ogre qui mangeait
tout sur son passage, et qui aimait par-dessus tout
les nèfles. Et pour bien montrer comment faisait l'ogre,
le premier elfe mangea toutes les nèfles du sapin !
Le deuxième elfe raconta l'histoire du pauvre petit singe perdu,
affamé, qui découvrit une mine de raisins secs.
Et pour expliquer son histoire, il se mit à dévorer
tous les raisins secs de l'arbre de Noël.
Le troisième elfe prit la parole à son tour et raconta l'histoire
du lapin magique qui prenait des forces en mangeant des petites
prunes sauvages. Et à son tour, il grignota toutes les prunes…
À la fin de la veillée, le pauvre sapin était tout déshabillé.
Les trois elfes avaient croqué toutes ses décorations,
même les belles pommes rouges ! Les trois gourmands
se regardèrent, penauds : « Heureusement, nous avons encore
une petite réserve de noisettes !
– Mais, gourmands comme nous sommes, nous allons encore
trouver le moyen de les manger ! remarqua le deuxième.
– Et si nous les cassions, nous pourrions nous servir de la coquille
pour y faire fondre une bougie et illuminer ainsi notre sapin ! »
proposa le troisième.

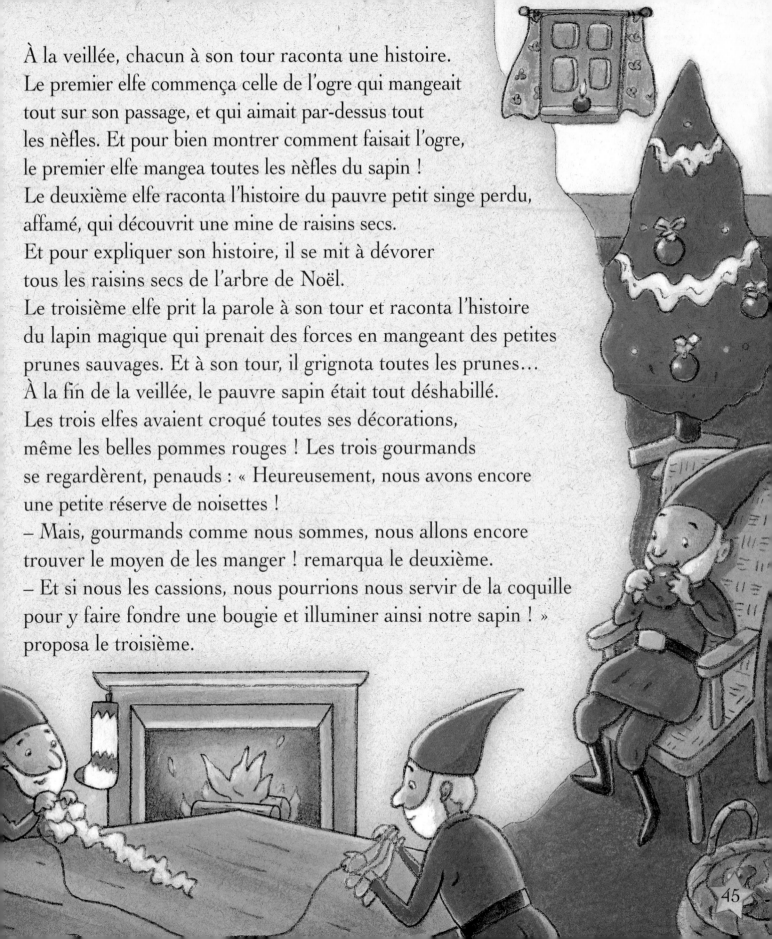

À trois, les elfes eurent vite
fait de casser les noisettes,
de couler de la cire dans
les coquilles et d'accrocher
leurs nouvelles bougies dans l'arbre. Les douze coups
de minuit sonnèrent juste quand tout fut fini !
Alors, les trois amis allumèrent une à une les douze
bougies de leur sapin, en récitant ensemble, suivant
la coutume, la jolie poésie du Petit Peuple de la Forêt :
« Que chaque mois de cette année qui vient
Soit dans vos cœurs, et le tien et le mien
D'amitié et de bonheur plein ! »
« Et maintenant, dirent les trois elfes gourmands,
il ne nous reste plus qu'à croquer nos noisettes ! »

Un mystérieux voyageur

Arnault se réveille en frissonnant. Le feu dans l'âtre s'est éteint.
« Vite, ce matin je dois aller répéter les chants de la veillée
de Noël », dit-il à sa mère. Au dehors, son ami Gauthier
l'attend déjà. Ensemble, ils entonnent une joyeuse ritournelle.
La neige scintille sous le soleil et les sapins croulent sous des
grappes d'aiguilles blanches. Là, près de l'église, se tient un
homme à la peau couleur de miel, coiffé d'un étonnant turban.
Il porte un grand manteau de soie, et chante dans une langue

inconnue une mélodie aux notes étranges.
Les deux amis s'arrêtent, envoûtés par le timbre
sourd de l'étranger.

« Qui êtes-vous, vous n'êtes pas du village ? demande Arnault.

– Je me nomme Balthazar, répond l'homme. Je suis
un voyageur, poète et musicien, saltimbanque et savant
et un peu magicien. Je viens d'un pays où le soleil brille
tous les jours de l'année. Je chante des histoires d'autrefois
et je connais toutes les étoiles du ciel.

– Mais que venez-vous faire ici ? interroge Arnault.

– Je viens vendre des étoffes soyeuses et des pierres
précieuses au seigneur du pays, répond le voyageur.

– Aujourd'hui ? Tout le monde est occupé à préparer Noël,

explique Arnault. D'ailleurs,
nous allons répéter les chants
pour la veillée de ce soir.
Venez donc avec nous ! »
Arnault et Gauthier rejoignent
le groupe d'enfants
et la répétition commence.
La nuit tombée, les villageois,
flambeaux à la main, se rendent
à l'église tout illuminée. Les petits
et les grands, le seigneur du château et
toutes les familles du village
arrivent de toute part.
Arnault entonne d'une voix claire
un hymne de Noël accompagné par
la chorale. Sa voix enfantine monte
vers les voûtes de l'église.
Mais aussitôt, une voix d'homme puissante
et chaleureuse lui répond. Les deux voix se
mêlent emplissant l'église de joie et d'émotion.
Arnault a reconnu l'étrange voyageur
qui vient d'entonner avec lui
le plus beau de tous les cantiques de Noël.
À la fin de la veillée, tout le monde
entoure cet homme venu de loin.
« Chantez-nous encore quelque chose ! »
demande Arnault.
L'homme ferme les yeux. Son chant s'élève
alors, qui raconte l'histoire de trois savants guidés
par une étoile jusqu'à la crèche d'un enfant roi…

L'étoile et le petit berger

Ce soir-là, toutes les étoiles du ciel se sont donné rendez-vous. C'est à qui se montrera la plus lumineuse, la plus flamboyante. Les plus gros astres se gonflent d'importance et lissent leurs rayons. « Moi, clame une étoile, je suis la plus célèbre de l'univers ! J'ai guidé les plus grands voyageurs dans le désert ! – Vous oubliez, chère amie, que j'ai accompagné des navigateurs à l'autre bout du monde. Sans moi, ils se seraient perdus ! – Moi, je connais le ciel et la terre comme ma poche », renchérit avec fierté sa voisine. Un peu plus bas dans le ciel,

une toute petite étoile murmure : « Moi, je ne suis ni très grande ni très brillante, mais je suis courageuse, je me lève toujours la première. Moi aussi, je pourrais rendre service ! »
À ce moment-là, la lune apparaît, drapée de sa lumière pâle. Toutes les étoiles se taisent quand, de sa voix éraillée, elle annonce :
« Le firmament m'a demandé de désigner l'une d'entre vous pour une importante mission. » Aussitôt, toutes les étoiles se rapprochent et se mettent à briller aussi fort qu'elles peuvent. « Il s'agit de conduire un petit berger vers une étable de Bethléem. » En entendant ces mots, les étoiles sont scandalisées. Pour qui les prend-on, cette mission n'est pas digne d'elles. Et elles disparaissent toutes dans un éclat de rire. Toutes, non, la petite étoile est restée. Elle est toute rose de timidité. « J'aimerais faire ce travail. » La lune la regarde un peu attendrie : « Tu es bien petite, mais tu es courageuse. Allez, va ! »
La petite étoile ébouriffe ses rayons et descend vers le petit berger. Elle gigote dans tous les sens et danse une ronde effrénée autour de la tête

du jeune garçon. Rien à faire, il ne la voit pas,
il dort profondément, il rêve qu'il est le chef
des bergers et qu'il les conduit à travers
la campagne. Quand il se réveille,
il est très étonné, quel drôle de rêve !
Tout à coup, il plisse les yeux.
Là, dans le coin du ciel au-dessus
de sa tête, on dirait qu'une étoile lui fait
un clin d'œil. Aussitôt, la petite étoile
tourne, virevolte, fait de folles arabesques.
Le petit berger est très intrigué.
Il se lève, rassemble son troupeau
et se met à suivre la drôle de petite étoile. Dans le ciel,
la petite étoile envoie ses plus beaux rayons vers la tête
du petit garçon, et ses cheveux se mettent à briller
comme le soleil.

Quand les bergers des environs voient passer l'enfant
qui marche dans la lumière, ils veulent comprendre
cette chose extraordinaire, et eux aussi se mettent
à le suivre. Enfin, la petite étoile arrive au village,
elle s'arrête juste au-dessus d'une étable.
Le petit berger passe timidement la tête par la porte.
Il y a là un homme et une femme avec un nouveau-né
qui dort paisiblement. « Qui est-ce ? » demandent
les autres bergers. « Je ne sais pas, mais c'est sûrement
quelqu'un de très important », répond le petit berger.
Dans le ciel, l'étoile a rejoint ses sœurs.
Pas pour longtemps, car déjà, une nouvelle mission l'attend :
des savants étrangers à guider dans le désert.

La grande peur de Finette

Finette, la petite chatte, court partout dans la maison. Il flotte un vent sucré, qui fait rêver… « On doit préparer une fête ! » se dit-elle en passant sa patte derrière son oreille !

Dans la cuisine, elle grimpe sur la table. Des odeurs de chocolat, de miel, de cannelle et d'orange viennent lui chatouiller les moustaches ! Mais Grand-mère rentre du jardin : « Oust, Finette ! » crie-t-elle. Et Finette se sauve à toutes pattes par la porte entrouverte.

Dans le jardin, le mistral souffle fort. Finette court derrière l'appentis pour se protéger du vent. Elle renifle un cageot de pommes, saute sur le tas de bois et grimpe au sommet. Mais là, patatras ! une petite bûche roule sous ses pattes,

et c'est tout le tas de bois qui s'écroule. La petite chatte manque de se faire écraser par une énorme bûche au nez long et pointu. Finette pense tout bas : « Quelle méchante bûche ! Ça ne se fait pas d'écraser une jolie chatte ! » Effrayée, elle réussit à se dégager et se sauve en courant. En chemin, elle rencontre Grand-père qui tire son petit-fils par le bras : « Viens ! on va choisir la plus grosse ! Et nous la brûlerons cette nuit, pour Noël. » Finette se demande de quoi ils peuvent bien parler, mais elle a trop peur de les suivre et préfère retourner au coin du feu.

Dans la maison, chacun a mis ses plus beaux habits. Grand-père et son petit-fils arrivent tout contents. Ils portent fièrement une énorme bûche.

« Mais… c'est la méchante bûche de tout à l'heure ! » se dit Finette.

Une fois la bûche dans le feu, Grand-père verse dessus
de l'huile qui sent bon l'olive.

Il serre la main de son petit-fils et dit : « Dieu nous fasse
la grâce de vivre l'an qui vient ! Si nous ne sommes pas
plus, que nous ne soyons pas moins ! »

Finette, elle, est bien contente : il y en a une qui ne sera
pas là l'an prochain, c'est cette vilaine bûche au nez pointu !

Mais soudain, Finette regarde sur la table et ses poils
se hérissent : « La bûche ! Elle est revenue ! Elle est là ! »

Pourtant Finette sent une délicieuse odeur…

Mais oui ! c'est celle de la crème et du beurre !

D'un seul coup, elle retrouve tout son courage
et s'approche de la bûche.

Et miam… elle lèche la crème et le chocolat, le bûcheron
et le sapin en meringue !

Quel délice !

Pour Finette, c'est Noël avant l'heure !

Le festin de Madame Mésange

Cette année, Madame Mésange a décidé d'inviter tous ses amis pour fêter Noël. Depuis longtemps elle réfléchit à tous les cadeaux qu'elle va leur fabriquer… Mais, « atchoum » ! Elle tombe si malade qu'elle doit se mettre au lit. Quand elle peut enfin se relever, c'est déjà la veille de Noël ! Madame Mésange est catastrophée : elle n'a plus assez de temps pour faire ses cadeaux ! « Finalement, se dit-elle, je vais préparer un festin, et ce sera mon cadeau ! » Toute la journée,

elle cuisine de bons petits plats : une oie rôtie pour
Sapristi la Souris, des marrons pour Nico l'Écureuil
et une belle bûche au chocolat pour Belette la gourmande.
Sur la table, elle étale sa plus belle nappe. Elle la décore
avec du houx et installe les jolis chandeliers
que sa grand-mère lui a donnés. Pour chacun, elle écrit
un menu décoré de plumes et d'aiguilles de sapin.
Quand le soir tombe, sa petite maison sent bon.
Soudain, on frappe à la porte. Madame Mésange jette
un dernier coup d'œil à son couvert : tout est parfait !
Nico l'Écureuil entre le premier :
« Bonjour Mésange ! Joyeux Noël ! Dis-moi,
j'ai rencontré Oscar le Hérisson.
Il est tout seul ce soir…
Peut-il venir passer Noël avec nous ?
– Bien sûr ! répond Mésange. Va le chercher ! »
Pendant que Nico va chercher Oscar,
Mésange prépare rapidement des noix
et des dattes fourrées à la pâte d'amande.
Elle sait qu'Oscar le Hérisson en est friand !
On frappe à nouveau : c'est Sapristi la Souris !
« Joyeux Noël Mésange !
Tu sais, des chasseurs ont détruit
le terrier d'Ursule
la Fouine…
Pourrions-nous
l'inviter ?

– Bien sûr ! » répond Mésange.
Et pendant que Sapristi repart,
Mésange sort des fruits confits
de son garde-manger. Elle sait qu'Ursule
en raffole ! À peine a-t-elle terminé que voilà Belette :
« Joyeux Noël Mésange ! Regarde, j'ai trouvé ce petit
moineau perdu dans la forêt…
– Entre, petit moineau, viens te réchauffer près du feu ! »
dit tout de suite Mésange. Et elle retourne dans sa cuisine
chercher pour le petit moineau les truffes en chocolat
qu'elle a préparées cet après-midi.
Tout est prêt sur la table quand Nico l'Écureuil et Sapristi
la Souris reviennent, suivis d'Oscar le Hérisson
et d'Ursule la Fouine.
« Quelle table de roi ! Et comme tout cela a l'air bon…
Vraiment, Mésange, tu nous gâtes ! Merci de nous avoir
tous réunis ! » s'écrient les invités ravis.

Le Père Noël a des soucis

Dans sa maison perdue dans l'immense forêt, le Père Noël préparait ses dernières commandes. Bientôt, il partirait avec ses quatre rennes visiter les enfants du monde entier. L'atelier de fabrication des jouets était en pleine activité : les lutins serraient les derniers boulons des robots, vérifiaient les roues des voitures téléguidées, empaquetaient soigneusement les poupées et les robes de princesses. Quelle joyeuse animation ! Mais les rennes n'étaient pas du tout enthousiastes. Ils étaient vieux, aussi vieux que le Père Noël. Et la tournée d'un pays à l'autre en vingt-quatre heures

devenait trop épuisante. Se poser sur les toits glissants des maisons, tirer le traîneau alourdi par les millions de jouets, voler dans le vent cinglant était, chaque année, un peu plus difficile. « Nous ne voulons plus travailler de cette façon, dirent-ils en chœur au Père Noël. C'est trop fatigant. Il faut trouver une solution, sinon nous ne partirons pas ce soir ! » Abasourdi, le Père Noël se laissa lourdement tomber dans son fauteuil. Il réfléchit. « Je vous offre double ration de foin, du lait à volonté et des clochettes toutes neuves.

– Non, répondirent les rennes obstinés. Ce que nous voudrions, c'est que cette période de Noël dure quatre jours. Ainsi, nous aurions le temps de voler tranquillement et de regarder les enfants découvrir leurs jouets.

– Impossible, répliqua le Père Noël. Comment leur demander d'attendre le 26 ou le 27 décembre pour ouvrir leurs cadeaux ? » Les rennes se grattèrent les moustaches. « Ah, pour sûr Père Noël, on ne doit pas les décevoir ! – Et que diriez-vous de motoriser le traîneau ? suggéra le Père Noël. – Impensable ! Ça sentira l'essence et les étoiles feront la grimace !

– Tout de même, je ne peux pas
distribuer les cadeaux tout seul, surtout
à mon âge… Et si nous demandions
conseil aux lutins ? » Les lutins furent
unanimes : « La tournée ne peut pas être
annulée. On a tous travaillé comme
des fous depuis des semaines !
– Et si on se partageait les rôles ! dit un
petit lutin. Les rennes tireront simplement
le traîneau de nuage en nuage. Nous,
les lutins, nous sauterons sur les toits
et nous ferons la chaîne pour débarquer
les cadeaux, et vous, Père Noël,
vous passerez par la cheminée…
– Bravo lutin, c'est une excellente idée »
applaudit le Père Noël.
Et c'est ainsi que, cette nuit de Noël,
dans le ciel, les rires cristallins des lutins
se mêlèrent au tintement des clochettes
des rennes. Au petit matin, tout le monde
se retrouva épuisé et heureux pour un bon petit
déjeuner. C'était très amusant, dirent les lutins.
– Et bien moins fatigant, ajoutèrent les rennes.
C'est décidé, Père Noël, nous ferons cela tous les ans ! »

61

Le fabuleux Noël des Godasses

Elles sont bien vieilles, un peu usées d'avoir été portées par tant de petits pieds. Dans la maison, on les surnomme les Godasses et maman les a rangées tout au fond d'un placard. Délaissées, derrière une paire de bottes, elles s'ennuient de plus en plus.

« Crois-tu que l'on servira encore un jour ? demande Droite à Gauche.

– Peut-être ! Arthur, le petit dernier de la maison, a juste l'âge de nous chausser. »

Les jours défilent l'un après l'autre. Un matin, pourtant, une lueur éclaire le fond du placard. Une petite main attrape les chaussures, les soupèse, puis les pose sur le plancher.

« Maman, j'ai retrouvé les Godasses de Valentine et Antoine. Je peux les mettre ?

– Essaie toujours ! »

Arthur applaudit des deux mains et les enfile immédiatement. Ses orteils y trouvent parfaitement leur place.

« Je les garde, crie Arthur à sa mère. Elles sont si belles, murmure-t-il en les caressant. Avec elles, je peux sortir dans la neige, je ne serai pas mouillé. » Droite et Gauche, depuis longtemps, n'avaient pas goûté aux flocons de l'hiver. Leurs semelles crissent sur la pellicule givrée, puis s'enfoncent avec plaisir dans la neige. Arthur pousse une grosse boule devant lui pour en faire un bonhomme de neige. Valentine et Antoine le rejoignent. « Tiens, tu as mis mes Godasses, remarque la petite fille.
– Mais non, c'étaient les miennes, constate l'aîné.
– Eh bien, elles sont à moi ! » réplique Arthur.
Les trois enfants, à la nuit tombée, rentrent chez eux.
Ils sont complètement trempés, de la tête aux pieds.
« Toilette pour tout le monde, dit Maman.
On commence par les souliers. » Droite et Gauche n'en reviennent pas. Elles avaient oublié !
Arthur prend le cirage, la brosse, et les nettoie énergiquement.

« Hmmm ! c'est délicieux ! ronronne Droite en se laissant passer du cirage.

— Et cela sent si bon », soupire Gauche.

Puis elles se laissent frotter avec un chiffon doux. Elles retrouvent tout leur éclat. Ça brille !

Le soir de Noël arrive et la maisonnée s'agite dans tous les sens.

Dans quelques heures, le Père Noël passera et les chaussures doivent être installées devant la cheminée pour recevoir les cadeaux.

« Mets tes chaussons rouge et vert », suggère Maman à Arthur. Mais le petit garçon n'a qu'une idée en tête. Il veut que les Godasses trônent en bonne place devant la cheminée.

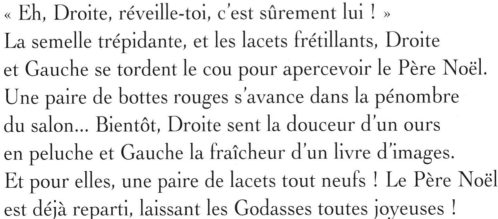

Droite et Gauche n'en croient pas leurs semelles. Elles vont voir le Père Noël ! Dans la maison silencieuse, les paires de chaussures somnolent. Un bruit dans la cheminée fait sursauter Gauche.

« Eh, Droite, réveille-toi, c'est sûrement lui ! » La semelle trépidante, et les lacets frétillants, Droite et Gauche se tordent le cou pour apercevoir le Père Noël. Une paire de bottes rouges s'avance dans la pénombre du salon... Bientôt, Droite sent la douceur d'un ours en peluche et Gauche la fraîcheur d'un livre d'images. Et pour elles, une paire de lacets tout neufs ! Le Père Noël est déjà reparti, laissant les Godasses toutes joyeuses !

Le cadeau de la Petite

Il était une fois, une petite fille qui vivait toute seule, au fond de la forêt, dans une maison de bois. Elle avait trois grands amis : Éolin le vent, Solstice le soleil et Sylva la forêt. Chaque jour, elle jouait à cache-cache avec le soleil, ou à attrape-moi avec le vent. La forêt lui offrait la rosée du matin, les bruits de la nuit, le chant des oiseaux, et la petite fille le lui rendait bien ! Elle consolait les uns, souriait à tous, et mettait tant de gaieté dans la forêt, par ses rires et ses chants, que tout le monde l'aimait bien.
Un hiver, le vent, le soleil et la forêt se retrouvèrent dans une clairière pour discuter :
« La Petite – c'est ainsi qu'ils appelaient entre eux la fillette – est si gentille avec nous ! dit la forêt. Je me demande bien

ce que nous pourrions faire pour lui
montrer combien nous l'aimons.
– C'est bientôt Noël, dit le vent
en baissant la voix, et…
psshh, psshh, psshh…
– Bonne idée ! »
répondirent ensemble
le soleil et la forêt.
Puis ils se séparèrent
tout contents,
en promettant
de garder le secret !
La nuit de Noël,
la neige se mit à tomber
si fort qu'au petit
matin toute la forêt était
recouverte de blanc.
Dès son réveil, le soleil
envoya l'un de ses rayons
chatouiller le nez de la Petite.
« Lève-toi ! lui souffla-t-il, dehors,
il y a une surprise pour toi ! »
Très étonnée, la Petite sortit dans le grand
froid. Le rayon de soleil la guida dans
la clairière du grand sapin. Ses trois amis

étaient là ! Ils s'écrièrent d'une même voix :
« Voilà notre cadeau de Noël !
– Un cadeau ? Qu'est-ce que c'est ?
demanda la fillette.
– Regarde ! » lui murmura le vent.
Et la Petite ouvrit grand ses yeux et
ses oreilles. Le soleil commença à éclairer
le sapin de ses rayons, la neige étincelait
sur ses branches comme mille bougies.
Le sapin était superbe, si blanc
et si brillant ! Le vent se mit à tournoyer
pour soulever des millions de petits éclats
de givre qui, dans le soleil, scintillaient
comme autant d'étoiles. C'était comme
un ballet, une danse aux éclats d'argent.
La forêt, accompagnée par le vent,
se mit à chanter des airs légers comme
des berceuses. La Petite était émerveillée.
Quand tout fut terminé, elle sauta de joie
autour de ses amis : « Merci pour tous
ces cadeaux ! C'est si doux de savoir
que vous m'aimez tant… »
Depuis ce jour-là, chaque année le jour
de Noël, les habitants de la forêt s'offrent
des cadeaux, pour se dire toute leur amitié.

Minuit est là

Les cloches sonnent : minuit est là !
Les cloches résonnent
dans le vent froid.
À la maison, Julia et son papa,
maman et Nicolas
ont préparé un dîner de roi.
Les cloches sonnent : minuit est là !
« Julia, dépêche-toi ! »
Dehors, le vent pique les yeux
et rend joyeux.
Julia serre fort la main de son papa.
Sur tous les chemins,
les familles accourent la main
dans la main.

Les enfants ont envie de danser
vers l'église illuminée…
Tout le monde est arrivé !
Quelle joie de se rassembler.
Julia et son frère Nicolas,
tout contents,
s'assoient au premier rang,
avec tous les autres enfants.
Dans la crèche en bois,
Marie serre Jésus dans ses bras.
Guidés par l'étoile qui scintille,
arrivent les bergers qui s'inclinent !
On chante à pleine voix
de beaux airs d'autrefois.
Tous ensemble dans le vent froid,
on boit un bon chocolat.
Puis dans la nuit de Noël,
chacun rentre chez soi
le cœur plein de joie.
Les cloches sonnent : minuit est là !
Elles carillonnent : Noël est là !

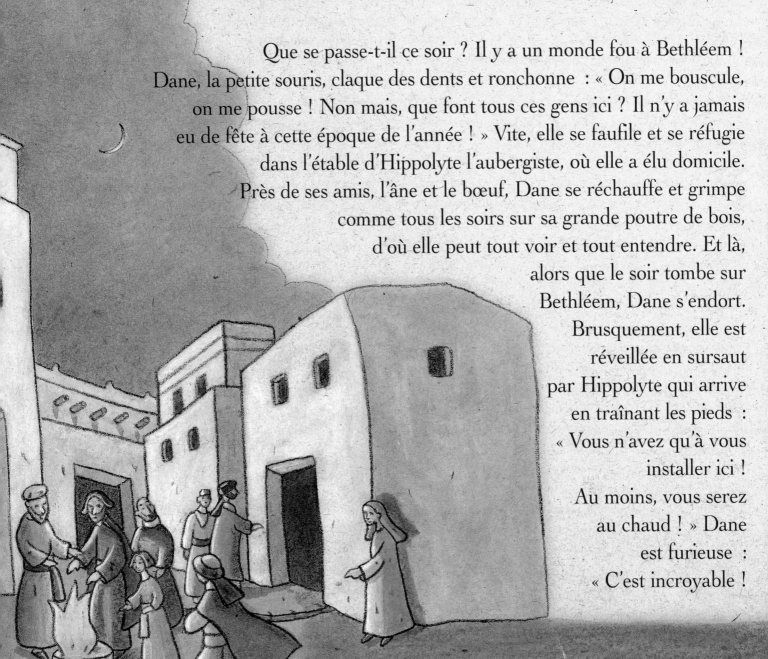

La souris de Bethléem

Que se passe-t-il ce soir ? Il y a un monde fou à Bethléem ! Dane, la petite souris, claque des dents et ronchonne : « On me bouscule, on me pousse ! Non mais, que font tous ces gens ici ? Il n'y a jamais eu de fête à cette époque de l'année ! » Vite, elle se faufile et se réfugie dans l'étable d'Hippolyte l'aubergiste, où elle a élu domicile. Près de ses amis, l'âne et le bœuf, Dane se réchauffe et grimpe comme tous les soirs sur sa grande poutre de bois, d'où elle peut tout voir et tout entendre. Et là, alors que le soir tombe sur Bethléem, Dane s'endort. Brusquement, elle est réveillée en sursaut par Hippolyte qui arrive en traînant les pieds : « Vous n'avez qu'à vous installer ici ! Au moins, vous serez au chaud ! » Dane est furieuse : « C'est incroyable !

il invite n'importe qui chez moi ! Sans même
me demander mon avis ! Je ne peux plus dormir
en paix ! Et d'abord, pourquoi ces gens viennent-ils
dormir dans une étable ? N'y a-t-il donc plus de place
à l'auberge ? » Mais soudain, Dane est tout intriguée !
La jeune femme a un ventre aussi rond qu'un soleil.
« Elle attend sûrement un bébé, qui va venir bientôt »,
se dit la petite souris. L'homme et la femme ont une mine bien
fatiguée ! Bien au chaud dans la paille, ils s'endorment aussitôt.
Le silence se fait dans l'étable. « Ce n'est pas trop tôt,
bougonne Dane, enfin un peu de calme ! »
La nuit est bien avancée quand Dane est à nouveau réveillée
par d'étranges bruits. « Que se passe-t-il encore ? »
De mauvaise humeur, elle jette un coup d'œil en bas. Dane n'en croit
ni ses yeux ni ses oreilles. La femme serre dans ses bras un tout petit
bébé qui vient de naître. Dane tend l'oreille :
« Marie, dit l'homme, quel nom allons-nous lui donner ?
– Il s'appelle Jésus », répond la jeune femme.
Dane s'installe entre les cornes du bœuf, pour être
à la meilleure place, et de là, elle voit ce tout petit
bébé qui tète le sein de sa maman, les yeux
fermés. Dans la rue, des pas résonnent.

« Tiens
on attend encore
quelqu'un ? »
se demande Dane.
« Joseph ! va voir
qui arrive », demande
Marie d'une voix douce.
Elle pose alors l'enfant au chaud
dans la mangeoire du bœuf.
« Recule-toi, dit Dane au bœuf,
tu vas lui faire peur avec tes
grosses cornes ! » Joseph revient,
suivi de quelques hommes
et d'un troupeau d'agneaux.

« Qu'est-ce que ces bergers viennent
faire ici, en pleine nuit ? s'interroge Dane.
Cette nuit est pleine de mystère… »
L'un des bergers raconte : « Un ange est venu nous
annoncer la naissance d'un enfant et nous sommes
venus tout de suite ! À présent que nous l'avons vu,
nous pouvons retourner heureux chez nous. »
Les bergers s'en vont sans bruit. Dane n'ose plus bouger.
Elle souffle juste à l'oreille du bœuf :
« Tu te rends compte, c'est incroyable !
Un enfant dont la naissance a été annoncée par les anges…
et c'est chez nous, sur notre paille, qu'il est venu naître ! »
Dane n'a plus du tout envie de dormir. Elle regarde,
émerveillée, ce tout petit enfant qui dort paisiblement.

Joyeux